U0019281

文、圖／若波特‧沃特金斯　譯／李貞慧

副主編／胡琇雅　美術編輯／蘇怡方

董事長／趙政岷　第五編輯部總監／梁芳春

出版者／時報文化出版企業股份有限公司

108019台北市和平西路三段240號七樓

發行專線／(02) 2306-6842

讀者服務專線／0800-231-705、(02) 2304-7103

讀者服務傳真／(02) 2304-6858

郵撥／1934-4724時報文化出版公司

信箱／10899臺北華江橋郵局第99信箱

統一編號／01405937

時報悅讀網／www.readingtimes.com.tw

法律顧問／理律法律事務所　陳長文律師、李念祖律師

Printed in Taiwan

初版一刷／2020年 04 月 10日

版權所有 翻印必究 (若有破損，請寄回更換)

採環保大豆油墨印製

MOST MARSHMALLOWS
By Rowboat Watkins
Copyright: © 2019 by Rowboat Watkins.
All rights reserved. No part of this book may be reproduced in any form without written
permission from the publisher.
First published in English by Chronicle Books LLC, San Francisco, California.
through Big Apple Agency, Inc., Labuan, Malaysia.
Complex Chinese edition copyright: © 2020 by China Times Publishing Company
All rights reserved.

我不是普通的棉花糖

作者

若波特·沃特金斯

翻譯

李貞慧

多ㄉㄨㄛ數ㄕㄨ的ㄉㄜ棉ㄇㄧㄢ花ㄏㄨㄚ糖ㄊㄤ 都ㄉㄡ不ㄅㄨ長ㄓㄤ在ㄗㄞ樹ㄕㄨ上ㄕㄤ,

也せ不ㄅㄨ是ㄕ送ㄙㄨㄥ子ㄗ鳥ㄋㄧㄠ送ㄙㄨㄥ來ㄌㄞ的ㄉㄜ，

更別說是來自火星。

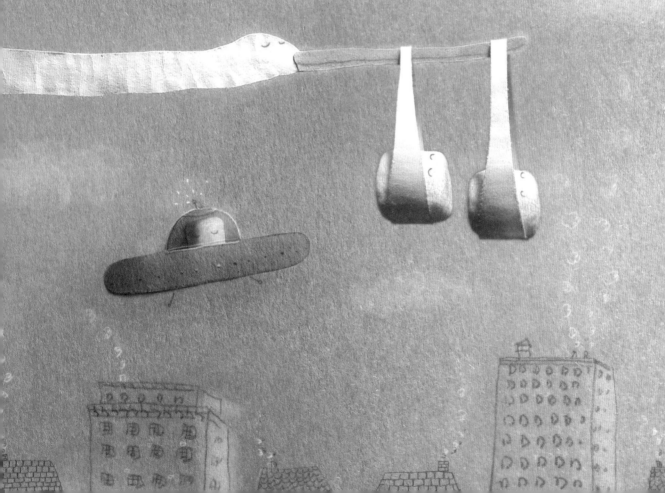

棉花糖大多出生於

有著一到兩個溫暖父母的家庭。

並住在

各式各樣的房子裡。

他們慶祝生日。

他們看電視。

他們通常

早ㄗㄠˇ上ㄕㄤˋ會ㄏㄨㄟˋ去ㄑㄩˋ上ㄕㄤˋ學ㄒㄩㄝˊ，

學習變得柔軟

學習排排站。

也_ㄝ學_{ㄒㄩㄝ}習_{ㄒㄧ}為_{ㄨㄟ}什_{ㄕㄣ}麼_{ㄇㄜ}他_{ㄊㄚ}們_{ㄇㄣ}不_{ㄅㄨ}能_{ㄋㄥ}噴_{ㄆㄣ}火_{ㄏㄨㄛ}。

多數的棉花糖一起吃晚餐，

通_{ツウ}常_{ジャウ}會_{くわい}在_{ざい}夜_や晚_{ばん}睡_{すい}覺_{かく}，

一夜無夢。

然而有些棉花糖

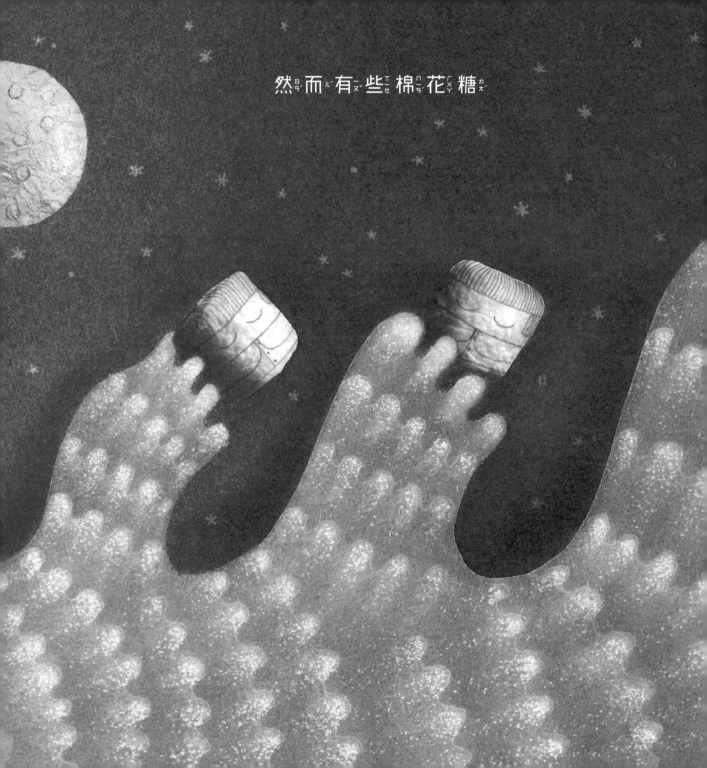

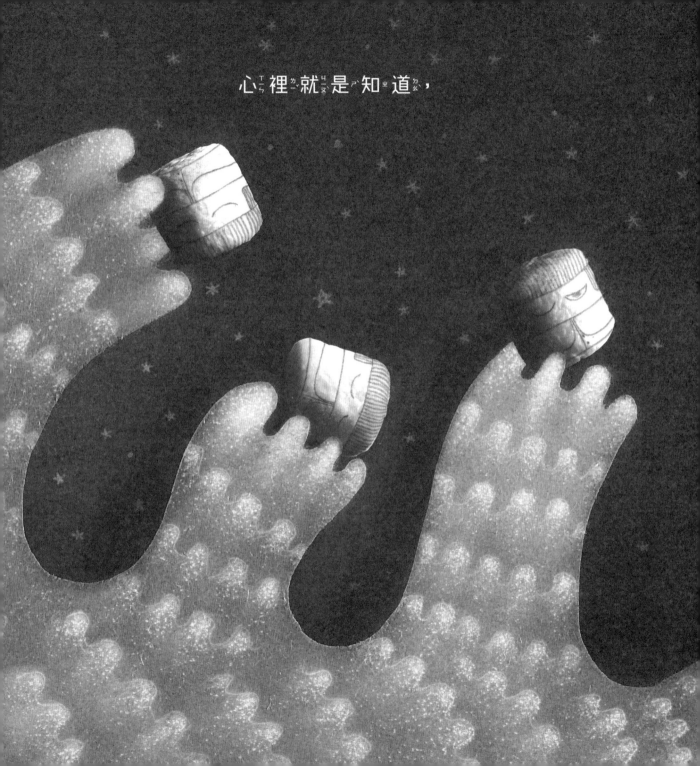

心裡就是知道，

只要是棉花糖，

便能成就任何事，

或是成為任何人。

他ㄊㄚ們ㄇㄣ敢ㄍㄢ於ㄩ想ㄒㄧㄤ像ㄒㄧㄤ。

所以，噴火吧！

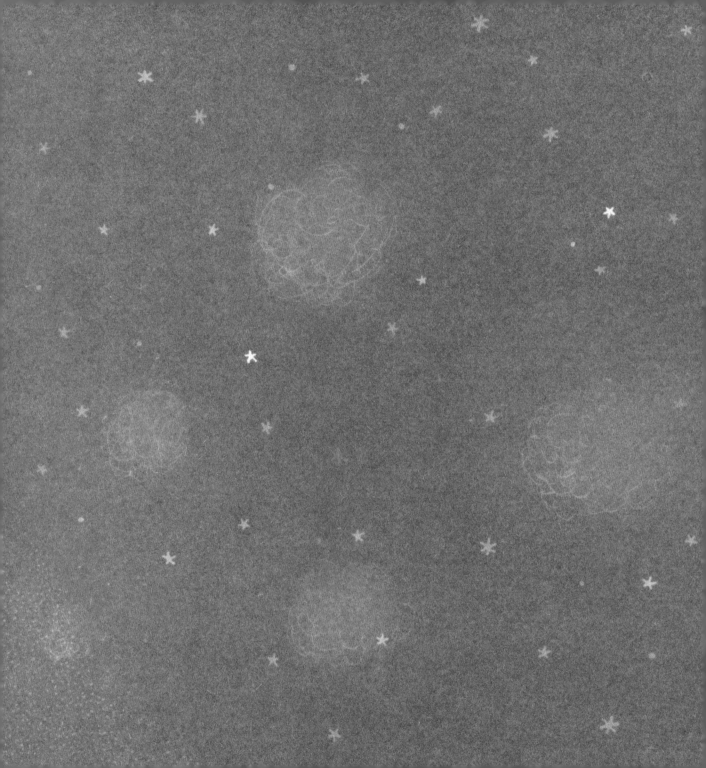